Id...

Y CAWR

Catherine Aran

Eric Heyman

Gwasg
Gwynedd

Argraffiad Cyntaf – Tachwedd 2004

© Testun: Catherine Aran
© Darluniau: Eric Heyman

ISBN 0 86074 208 3

*Cyhoeddwyd ac argraffwyd
gan Wasg Gwynedd, Caernarfon*

I Gary, fy lleuad i,
i Jac a Rhys, fy sêr,
ac i'r gwrachod, y tylwyth teg a'r cewri
a fuodd yn fy helpu ar y daith −
diolch.

Erstalwm . . . roedd Cymru'n llawn o gewri. Rhai blewog, rhai tew, rhai tenau, rhai hyll – ac un peth sy'n sicr, roedden nhw i gyd yn wyllt a ffyrnig iawn. Eu hoff beth oedd ymladd, yn enwedig efo'i gilydd, ac roedd mynyddoedd Cymru'n llawn o sŵn rhuo a gweiddi stormus.

Ond roedd Idris yn gawr gwahanol i bob un arall, ac roedd o'n byw

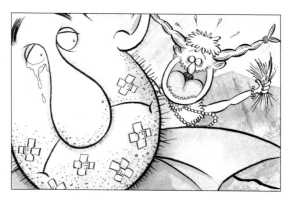

ynghanol mynyddoedd Meirionnydd. Doedd Idris
ddim yn ffyrnig – un tawel ac addfwyn oedd o,
yn cadw iddo'i hun. Ers i Rhita Gawr lwyddo i
ddwyn ei farf, doedd Idris ddim wedi meiddio
gadael y tŷ yn ystod y dydd, gan fod arno
gymaint o ofn y cewri eraill. Felly, bywyd unig
iawn oedd bywyd Idris.

Un noson, tra oedd Idris yn darllen llyfr wrth y
tân, fe gododd ei ben, a sylwi ar yr awyr y tu allan
i'r ffenest. Doedd yr awyr ddim yn ddu, ddu, ond
yn las tywyll prydferth fel
melfed, a golau arian
rhyfedd yn sgleinio o rywle
uwchben y tŷ.

  'Wel, be ar y ddaear . . . ?'
gofynnodd Idris, gan godi
o'i gadair. Aeth i'r gegin ar
ras, gwisgo'i sgidiau
trymion, taflu côt law dros
ei ysgwyddau a chamu allan
i'r nos.

Fe deimlodd yr oerni
trwy'i drwyn yn syth
bìn, a llanwodd ei lygaid
â dagrau. Synnodd at y
tawelwch – doedd o heb
fod allan erstalwm, heb
sôn am fod allan yn y
tywyllwch. Doedd 'na
ddim smic i'w glywed
yn unman. Ond O! roedd y caeau'n las golau, a
phen pob blodyn a choeden wedi'i goroni ag

arian. Roedd yr awyr yn lliain melfed tywyll fel
clogyn brenin dros y cyfan, a hwnnw wedi'i
addurno â'r diemwntau mwyaf
cywrain erioed.

Gwenodd y cawr mawr â'i
geg led y pen. Cerddodd yn

hapus i ganol y byd hud a lledrith gan ganu'n
ddistaw iddo'i hun:

'Ffaldirî, ffaldirô, ffaldirî, ffaldirô . . . '

Cododd ei lais yn uwch ac yn uwch, nes iddo
fethu peidio â chwerthin.

'Ffaldirî, ffaldirô, ho, ho, ho . . . '

Yn sydyn, clywodd lais arall yn chwerthin. Llais
uchel, swynol, fel tincial piano uwch ei ben.
Edrychodd Idris i fyny a chael ei ddallu gan
oleuni anhygoel o ddisglair.

'Aw!' gwaeddodd, gan guddio'i lygaid.

'Pam rwyt ti'n cuddio dy lygaid?' gofynnodd y llais.

'Dydw i ddim yn eu cuddio,' atebodd Idris, 'methu gweld ydw i.'

'O!'

Cododd ei ben eto a gweld y peth mwyaf prydferth a welodd erioed. Uwch ei ben roedd pelen wen, berffaith a goleuni'n gloywi'r nefoedd dywyll o'i amgylch. Bu bron i Idris anghofio anadlu wrth edrych arni.

'Ti'n iawn?'

'Mmm,' nodiodd Idris ei ben. A dechreuodd y ddau chwerthin.

Aeth Idris i weld Lleuad bob nos ar ôl hynny, a byddai'r ddau'n sgwrsio'n fywiog nes i Haul ddeffro.

Ymhen y flwyddyn roedd
Idris a Lleuad mewn
cariad, a phen-ôl Idris
wedi naddu sêt gyfforddus
iddo'i hun ar ben y
mynydd wrth iddo eistedd
yn sgwrsio am oriau. Cadair Idris ydi'r enw ar y
mynydd hyd heddiw!

Ond un noson, newidiodd pethau. Roedd Idris yn anarferol o flin a chwmwl du, hyll yn hongian uwch ei ben. Eisteddodd yn swrth ar ei gadair ar y mynydd.

'Be sy'n bod arnat ti heno?' sisialodd Lleuad gan wthio'i hwyneb trwy'r niwl.

'O, dim,' atebodd Idris gan droi y ffordd arall.

'O, tyrd yn dy flaen; wnes i ddim byd i ti, naddo?'

'Wel petawn i ddim wedi syrthio mewn cariad efo ti, fyddwn i ddim wedi dechrau teimlo'n flin fel hyn!' atebodd Idris.

'A pham wyt ti'n teimlo'n flin?'

'Am nad oes 'na'r un ffordd i ni fod efo'n gilydd,' dywedodd Idris yn ddistaw.

'Eisiau bod efo fi wyt ti?'

'Ia.'

'Yn yr awyr fan hyn?'

'Ia,' atebodd y cawr.

'O!'

Aeth pethau'n dawel iawn.

'Cer i chwilio am y llwybr arian,' meddai'r Lleuad o'r diwedd.

Cododd Idris ei ben.

'Be?' holodd.

'Cer i chwilio am y llwybr arian – mae'n arwain at risiau'r Cawr, ac o'r fan honno mi elli'di ddringo'r sêr ata i.'

'Felly, mae 'na ffordd?'

'Oes, ar hyd y llwybr arian!'

'Yhi! Ha!' sgrechiodd Idris gan neidio i fyny ac i lawr a thaflu creigiau i'r awyr fel conffeti.

Glaniodd y creigiau ar hyd ac ar led Meirionnydd, ac maen nhw'n dal i fod yno hyd heddiw!

'Lle mae'r llwybr arian?' gofynnodd Idris ar ôl tawelu ychydig.

'Dos i ofyn i'r Creadur Di-droed.'

'Y be?'

'Y Creadur Di-droed, mi fydd o'n gwybod,' dywedodd Lleuad, gan lithro o'r golwg.

'A lle . . . ?'

'O, Idris! tydw i ddim yn gwybod lle mae pob dim!'

Ond cyn i Idris fedru gweiddi'n ôl, fe gododd Haul.

Y bore wedyn deffrodd Idris yn sydyn, a dweud yn uchel, 'Dwi'n mynd! Dwi'n mynd i chwilio

am y Creadur Di-droed, a dwi'n mynd heddiw!'

Cododd a phacio bag gyda dillad glân, gweddill
y dorth a thalp o gaws. Wrth iddo gau'r drws ar
ei ôl, edrychodd ar
ei gartref.

'Hwyl fawr, Tŷ; falle na wela i di byth eto.'
Yna, wedi meddwl, meddai,
'Ond beth os fetha i ddod o hyd i'r Creadur
Di-droed, a phenderfynu dod adre? Mi fydd y
cewri eraill yn siŵr o fod wedi gweld fod y tŷ yn
wag, a'i ddwyn o!'

15

Penderfynodd Idris lunio cerflun
ohono'i hun yn gorwedd ar
y mynydd fel petai'n dal
i syllu ar yr awyr.
Byddai'r cewri eraill
wedyn yn siŵr o
feddwl ei fod o'n dal o
gwmpas a gadael
llonydd i'r tŷ.

Gadawodd ei fag a
rhedeg am y mynydd.
Taflodd gerrig a phridd

yn frysiog i'w lle gan wthio a thylino i greu
trwyn a thalcen, a gên debyg iawn i'w ên ei hun.
Esmwythodd weddill y mynydd i edrych yn
debyg i gorff yn gorwedd, ac yna wedi iddo
astudio'r siâp, gwenodd a sibrwd, 'Mi wnaiff y tro.'

Rhedodd yn ôl at y tŷ, codi'i fag ac i ffwrdd â fo i
chwilio am y Creadur Di-droed a'r Llwybr Arian.

Dechreuodd fwrw glaw. Disgynnodd y dafnau
tew, gwlyb ar ei ben a rhedeg fel afon i
lawr ei gefn.

'Ych-a-fi . . . ', mwmiodd Idris wrtho'i hun, 'ro'n i 'di anghofio sut beth oedd glaw!' Cyn pen dim, roedd y cwmwl glaw wedi disgyn i lawr at ei ysgwyddau a doedd Idris ddim yn gallu gweld dim byd islaw iddo.

'O wel, o leia mae fy mhen i'n sych rŵan!' meddai ac aeth yn ei flaen yn arafach o lawer gan deimlo'r ffordd â bodiau'i draed.

'Aw, aw, aw!' gwaeddodd yn sydyn. 'Carreg yn fy esgid!' Ymbalfalodd yn y niwl o'i flaen am rywle i eistedd. 'Aw! Ac aw eto!' sgrechiodd. Yn sydyn, bachodd ei fysedd mewn rhywbeth caled. Bodiodd y cawr y peth yn ofalus.

'Sgwaryn o ryw fath ydi o. Mi wnaiff y tro,' meddai gan eistedd yn blwmp yn ei ganol.

C---R---A---C!

Disgynnodd Idris yn swp ar y llawr a darnau
miniog o bren yn procio'i ben-ôl.

'We-hei! Be yn y byd mawr . . . WA! CAWR!'
gwaeddodd llais dieithr oddi tano. 'Gwych,'
meddai'r llais wedyn, 'fel petai pethau ddim yn
ddigon drwg – mae 'na gawr newydd eistedd ar
fy nghartref i a'i falu o'n rhacs!'

Gwelodd Idris geffyl esgyrnog yn sefyll o'i flaen, ei gefn fel siâp U-bedol a golwg ddigalon ofnadwy arno.

'O, mae'n ddrwg gen i . . . !' llefodd Idris.

'Wel, mi faswn i'n meddwl wir!' atebodd y ceffyl. 'Ro'n i wedi meddwl bod bywyd yn ddigon drwg fel roedd hi. Ond O! na, Carwyn, mae'n rhaid i ti ddioddef ychydig yn fwy. Chei di ddim mwynhau bywyd, gorwedd ar wair melys meddal, yfed dŵr clir, glân – na, rhaid i ti ddioddef.'

'Ydi bywyd mor galed â hynna?' gofynnodd Idris, gan dynnu'i esgid a'i hysgwyd.

'Wel,' ochneidiodd y ceffyl, 'rydw i wedi fy

nghlymu fan hyn, a byth yn cael mynd oddi yma i weld rhyfeddodau'r byd. Dwi'n gaeth, yn garcharor, yn sownd!'

Edrychodd Idris ar y llanast wrth ei draed, a chyda'i fys a'i fawd cododd y gadwyn a'i thorri.

'Wel, dydw i ddim yn meddwl dy fod ti'n sownd yma erbyn hyn, Mistar ym . . .'

'Carwyn. Da'n te? Enw campus.'

'Wel, ia.'

' "Dadi?" ' meddai Carwyn, gan ddefnyddio llais merch fach. "Dadi, gawn ni ei alw fo'n Carwyn? Dwi'n caru Carwyn y ceffyl cyflym!" . . . Hy!' meddai yn ei lais ceffyl arferol, 'yn ei garu o ddigon i adael iddo fo bydru'n fan'ma am byth!'

'Be ti'n feddwl, pydru?' holodd Idris

'Wel, syrthio'n ddarnau, torri i lawr, fy ngadael fan hyn ddydd ar ôl dydd yn unig heb gwmni, a dim i'w wneud ond bwyta, sefyll a chysgu.'

'Fuaset ti'n hoffi gadael, ta?' gofynnodd Idris.

'Hoffi gadael? Mi fuaswn i wrth fy modd yn gweld unrhyw le heblaw'r cae yma.'

Gwenodd Idris. 'Wel, dyma dy gyfle di – mi gei di ddod efo fi.'

'E?'

'Dwi'n chwilio am y Creadur Di-droed i ofyn iddo fo lle mae'r Llwybr Arian.'

'Y be?'

'Y Llwybr Arian. A does gen i ddim syniad lle mae o, ac mi fyddai'r daith yn llai unig o lawer petait ti'n dod efo fi.'

'Dod hefo ti?' holodd Carwyn yn syn. 'A gadael fan hyn?'

'Ro'n i'n meddwl dy fod ti'n torri dy fol isio mynd oddi yma!'

'Wel . . . ym . . . wn i ddim . . . ' atebodd Carwyn yn betrusgar.

'Wel, penderfyna'n reit sydyn,' meddai Idris, 'neu mi fydda i wedi mynd a dy adael di yma ar dy ben dy hun eto.'

'Wel, dydw i ddim mor ifanc ag yr oeddwn i,' meddai Carwyn yn araf. 'Mae 'nghoesau i'n wan ofnadwy, a dwi'n amau fod crydcymalau arna i. Dydw i ddim wedi cael llond bol o fwyd ers misoedd ac mae hynny wedi achosi i mi gael cur pen ofnadwy nes mod i'n methu meddwl a . . . '

Ond erbyn hyn, roedd Idris wedi brasgamu'i ffordd i lawr y cwm ac yn edrych yn llai ac yn llai – sy'n eitha anodd i gawr!

Syllodd Carwyn ar ei ôl a dagrau'n cronni yn ei lygaid. Gwelodd ei freuddwydion yn diflannu efo'r cawr ac, yn sydyn, roedd y syniad hwnnw'n ei ddychryn hyd yn oed yn fwy na'r daith o'i flaen.

'We-hei! Aros amdana

i!' gwehyrodd wrth garlamu ar ôl Idris, gan adael
cwmwl o lwch yn codi y tu ôl iddo.

Roedd y ddau wedi bod yn cerdded am oriau ac
oriau, a'r ceffyl wedi cwyno'r holl ffordd, pan
welson nhw afon las lydan yn torri'i ffordd trwy'r
tir.

'O diolch i'r drefn!' ochneidiodd Idris.

'Ia, llymaid o'r diwedd; mae fy ngwddw i'n
llosgi. Ro'n i'n teimlo fy mod i am golli fy llais
unrhyw funud o achos y boen!' cwynodd
Carwyn.

'Chdi? Colli dy lais?' chwarddodd y cawr.

'Ia, peth ofnadwy fasa hynny'n te?'

'Ym . . . wel . . . ' Gwenodd Idris gan dynnu'i sgidiau a gosod ei draed mawr pinc yn y dŵr.

'Aaaaaa! Dyna welliant!'

Gwyliodd Idris y ceffyl yn yfed ac yn edrych o'i amgylch, a gwelodd fod ei lygaid yn disgleirio.

26

'O, mi rydw i yn y nefoedd!' meddai Carwyn.

'Dyna'r peth hapusaf rwyt ti wedi'i ddweud ers i ni adael y mynydd!' meddai Idris.

Symudodd Carwyn ei lygaid yn araf gan edrych ar y coed uchel, yr haul yn chwarae mig rhwng y dail a'r afon oer a'i dŵr grisial.

'Mi fuaswn i'n medru byw yma, sti . . . ' sibrydodd yn freuddwydiol.

Torrodd Idris ar ei draws gan sgrechian yn uchel.

'Aw, aw, aw!' Cododd ei goes yn sydyn i ddangos pysgodyn wedi glynu wrth fawd ei droed chwith.

'Gad lonydd i mi!'

gwaeddodd Idris gan rwygo dannedd y pysgodyn allan o'i groen, a'i daflu'n ôl i'r dŵr.

'Aw, aw, aw!' Rhwbiodd ei droed, yna edrychodd ar y dŵr a gweld pen lliwgar yn syllu arno.

'Does gen i mo'r help fod dy fawd yn edrych fel mwydyn mawr tew!' meddai'r pysgodyn yn flin.

'Dydi o'n ddim byd tebyg i fwydyn!' protestiodd Idris. 'A beth bynnag, mae hwn yn sownd wrth fy nhroed i!'

'Www, sori!' atebodd y pysgodyn. 'Does gen i ddim traed, felly fyddai gen i ddim syniad!'

'Be?' gofynnodd Idris.

'Fyddai gen i ddim syniad,' meddai'r pysgodyn eto.

'Naci, naci, mi ddwedaist ti nad oes gen ti draed.'

'Wel, nag oes siŵr. Pysgodyn ydw i.'

'Yi ha! Dim traed, dim traed, DIM TRAED!' canodd Idris gan ddawnsio o amgylch y ceffyl, a oedd erbyn hyn yn syllu arno'n syn.

'Wyt ti'm yn dallt?' gwaeddodd Idris arno.

Ysgydwodd Carwyn ei ben yn araf.

'Dyma fo, dyma fo! Hwn ydi'r Creadur Di-droed!'

'O . . . ia!' atebodd Carwyn yn bwyllog. 'Wel, gofynna iddo fo lle mae'r Llwybr Arian ta.'

'O, ia, ia, wrth gwrs!' cytunodd Idris yn gyffro i gyd. 'Reit, 'sgodyn, gwranda,' meddai.

'Does gen i ddim clustia chwaith!'

'Be?'

'Ond dwi'n dal i fedru clywed!'

'O, da iawn. Reit, wyt ti'n gwybod lle mae'r Llwybr Arian?'

'Ydw.'

'Wel, lle mae o?' gofynnodd Idris yn ddi-amynedd.

'Tydi o ddim yn fan hyn – bydd raid i mi ddangos i ti.'

'O iawn.' Gwisgodd Idris ei sgidiau'n frysiog. Wedi chwythu a thuchan wrth blygu i

gau'r careiau dros ei fol mawr, sythodd a dweud,
'Reit, dwi'n barod. Pa ffordd?'

'Dilyna fi!' meddai'r pysgodyn.

Edrychodd Idris ar Carwyn y ceffyl tenau, a oedd
yn sefyll yn llonydd iawn.

'Wyt ti'n dŵad?' gofynnodd iddo.

Syllodd Carwyn ar Idris a'i lygaid yn fawr, fawr.

'Nac ydw, dwi am aros yn fan hyn os nad oes
ots gen ti. Dwi'n rhy hen i gerdded y byd, ac
mae'r lle yma mor dlws. Mi fydda i'n
hapus yma.'

'Ond . . . beth os bydd rhywun
yn dy 'nabod ac yn mynd â ti'n
ôl?'

'Mi guddia i yn y coed.'

'Wel ia. Ym . . . efallai y bydd
hyn o help i ti doddi i mewn i'r
coed,' gwenodd Idris, gan dorri
dau frigyn a'u gosod yn dyner ar
ben Carwyn – un wrth ei glust
chwith a'r llall wrth ei glust dde.
Cusanodd dalcen y ceffyl a sibrydodd
'Diolch!' mewn llais addfwyn iawn, cyn troi a
rhedeg ar ôl y pysgodyn chwim.

Ceisiodd Carwyn weiddi 'Pob lwc!' ond torrodd ei lais a dechreuodd grio'n ddistaw.

Wrth gwrs, fuodd Carwyn ddim yn unig yn hir iawn, a daeth yn arfer i bob ceffyl yn ei deulu wisgo brigau ar eu pennau. Erbyn heddiw mae'r brigau wedi troi'n gyrn, a dyna pam mae

teuluoedd bach o geirw i'w gweld bob hyn a hyn yn ardal Dolgellau!

Roedd y pysgodyn yn nofiwr campus a bu'n rhaid i Idris stryffaglio i'w gadw o fewn golwg

iddo. Roedd yr afon yn dechrau lledu, newidiodd y pridd tywyll o dan ei draed yn dywod melyn, a chyn pen dim gwelodd Idris gychod bach lliwgar yn nodio'u pennau ar y gorwel, a thwyni tywod yn taflu llwch melyn i bob cyfeiriad yn y gwynt. Roedd yr awyr yn iach a chri'r gwylanod uwch ei ben yn fyddarol.

'Iawn, twdlŵ!' gwaeddodd y pysgodyn, wrth droi'n ei ôl.

'Hei, lle rwyt ti'n mynd?' gwaeddodd Idris.

'Adra – mae'r dŵr yn rhy hallt i mi rŵan. Dos di yn dy flaen nes i ti gyrraedd y traeth. Mi fydd y llwybr yno cyn bo hir, dim ond i ti ddisgwyl amdano!'

A chyn i Idris allu gweiddi diolch, llithrodd y siâp lliwgar trwy'r dŵr ac yn ôl tua'r mynyddoedd.

'Ymlaen â fi,' ochneidiodd Idris. Cerddodd yn ofalus yn ei flaen, gan adael i'w draed suddo i'r tywod. Camodd dros bont fach ddu a thrên

bychan yn brysio ar ei thraws, ac mewn
chwinciad dwy chwannen roedd o'n sefyll ar y
traeth ac yn edrych ar y môr. Eisteddodd yno am
oriau, a Haul yn tywynnu'n chwilboeth uwch ei
ben. Daeth y môr i mewn efo'r llanw, a llyfu
bodiau'i draed fel tafod ci mawr ac yna cilio
unwaith eto. Dechreuodd Haul ddringo i lawr o'i
nyth yn y cymylau a diflannodd i'w wely dan
linell y dŵr. Caeodd Idris ei lygaid yntau, wedi
blino'n lân.

Pan agorodd y cawr ei lygaid unwaith eto, roedd yn siŵr ei fod yn clywed cerddoriaeth yn rhywle. Roedd yr awyr yn dywyll erbyn hyn, ond wrth iddo godi ei lygaid yn araf, sylwodd fod goleuni llachar o'i flaen a wyneb prydferth ei gariad yn syllu arno o'r canol.

'Weli di?' gofynnodd hi'n dawel.

'Wela i be?' holodd Idris yn gysglyd.

'Sbia!' Dilynodd Idris lygaid Lleuad am i lawr, a gwelodd lwybr disglair yn arwain o'r dŵr wrth ei draed, ar draws y môr, ac yn syth ati hi.

'Y Llwybr Arian!' sibrydodd Idris mewn syndod.

'Ia, mi fydd o wedi diflannu cyn y bore, felly well i ti frysio.'

Edrychodd yntau ar y dŵr tywyll, a chrynu.

'Oes gen ti ofn?' gofynnodd Lleuad.

'Oes wir,' atebodd Idris.

'Wel, bydd yn ddewr.'

'Dewr?'

'Ia, bod yn ddewr ydi pan mae rhywun yn gorfod gwneud rhywbeth anodd iawn, a'r ofn yn gwneud i'w du mewn grynu fel jeli. Ond mae o'n dal i'w wneud o!'

Gwenodd Idris, gan gymryd clamp

o anadl a thaflu'i hun ar ei fol yn gletsh i'r dŵr.

'O . . . ma . . . ma . . . mae'n . . . rh . . . rhewi!'

Nofiodd Idris yn gryf ar hyd y Llwybr Arian, ei freichiau'n troi fel melin ddŵr, a'i gorff yn symud fel llong danfor. Tynnodd ei hun drwy'r tonnau, ymlaen ac ymlaen am oriau. Weithiau byddai'n gorwedd ar ei gefn ynghanol y tywyllwch gan adael i'r môr ei dynnu a'i wthio er mwyn cael ei wynt ato; dro arall byddai'n gwthio'i hun ymhellach gan ddwrdio ac erfyn arno'i hun, 'Tyrd yn dy flaen, Idris, dal ati was . . . '

Awr ar ôl awr, nofiodd yn ei flaen, nes ei fod yn brifo drosto, ond daliodd ati i wthio'i hun tua'r golau.

Yn sydyn, clywodd rywbeth yn rhuo yn y pellter a gwelodd fflach o olau ar y gorwel, i'r dde iddo. Yna, clywodd chwyrnu dwfn a golau llachar yn fflachio o'r chwith, a rhywbeth yn debyg i fynydd mawr blewog yn dod i'r golwg am eiliad.

Cafodd Idris gymaint o fraw fel y peidiodd â nofio. Cododd y sŵn yn uwch nes i'r tonnau ddechrau chwyddo a chodi ewyn gwyn ar eu pennau. Yn uwch ac yn uwch cododd y sŵn, ac

yn uwch ac yn uwch cododd y dŵr, nes i Idris
gael ei daflu o'r naill ochr i'r llall, a'i droi a'i drosi
nes ei fod o'n teimlo'n chwil. Diflannodd Lleuad
y tu ôl i ddau gwmwl, a diflannodd y Llwybr
Arian efo hi. Brwydrodd Idris i gael ei wynt ato,
gan lyncu llond ceg ar ôl llond ceg o ddŵr hallt.

Roedd y sŵn yn fyddarol, ac Idris ynghanol
storm enfawr ac erchyll, y taranu'n brifo'i
glustiau, a'r fflachio llachar yn ei ddallu. Roedd ei
galon yn ei geg, a doedd dim syniad ganddo beth
i'w wneud, felly dechreuodd ganu'n ofnus a
distaw gan erfyn am dawelwch. Ond wrth nesáu i
ganol y storm, cododd ei lais yn uwch ac yn
uwch fel na allai glywed dim ond ei lais ei hun.
  'A fuoch chi 'rioed yn morio? . .'
  Pan ddaeth y gân i ben, roedd popeth yn
llonydd. Roedd y tonnau wedi cilio, a'r môr yn
dawel eto. I'r chwith iddo, sylwodd ar ddarn o dir
gwastad a chawr enfawr yn eistedd yno, ei wallt
yn fflamgoch a'i lygaid wedi cau. A thros y dŵr i'r
dde, roedd tir glas mynyddig a chawr anferth arall
yn gorwedd yno'n chwyrnu'n dawel, a'i gleddyf
yn llipa yn ei law.
  'Ffin Macwl, Cawr Iwerddon, a Macgonigl,
Cawr yr Alban!' meddai Idris yn syn. 'Mae'n rhaid

mai nhw oedd achos yr holl dwrw.
Mae'r ddau wastad yn gweiddi ac yn
bygwth ei gilydd dros y dŵr!'

Gwyddai Idris fod yn rhaid iddo fynd rhwng y ddau gawr, ac er bod ofn yn gwneud i'w gorff i gyd grynu, dechreuodd ganu unwaith eto i suo'r ddau gawr a gwneud yn siŵr na fyddai'r un o'r ddau'n deffro. Wrth nofio'n ofalus, ofalus, llithrodd heibio'r ddau, nes ei fod wedi eu pasio ac yn ddigon pell oddi wrthynt i gymryd saib.

'Diolch byth!' meddai Idris wrtho'i hun. Roedd wedi teithio ymhell, ac wedi llwyddo i wynebu dau gawr mawr a'u tawelu, er bod arno ofn. A rŵan roedd o wedi blino. Teimlai'n ofnadwy o unig yn y tywyllwch dudew. Trodd i orwedd ar ei gefn a dechreuodd grio, a chrio, a chrio, gan adael i'r môr fynd â fo lle y mynnai.

Clomp! Trawodd ei ben yn erbyn rhywbeth caled.

'Aw!'

Rhwbiodd ei ben a theimlai lwmp mawr yn codi ar ei dalcen fel wy gŵydd. Sylweddolodd bod ei draed yn medru cyffwrdd cerrig. Wedi sefyll, fe welodd rywbeth a wnaeth i'w galon neidio o lawenydd. Gwelodd risiau o greigiau siâp octagon yn dringo i fyny i'r awyr ac yno, yn eistedd ar eu pen ac yn gwenu'n dlws, roedd Lleuad.

'Lleuad!'

Rhuthrodd Idris yn ei flaen, a'i ddillad gwlyb yn llusgo y tu ôl iddo. Rhedodd a dringodd yn uwch ac yn uwch gan syrthio ar ei hyd bob yn ail gris. Wrth gyrraedd y gris olaf un, taflodd ei hun

ymlaen. Estynnodd Lleuad amdano, ac wedi ei
ddal yn dynn ac yn ddiogel, cododd hithau a
dringo'n uwch ac yn uwch, a'r sêr disglair yn eu
dilyn i ganol y nos.

Ac yno mae Idris hyd heddiw, meddan nhw.
Os ydych chi am ei weld o, craffwch
yn ofalus ar y Lleuad pan

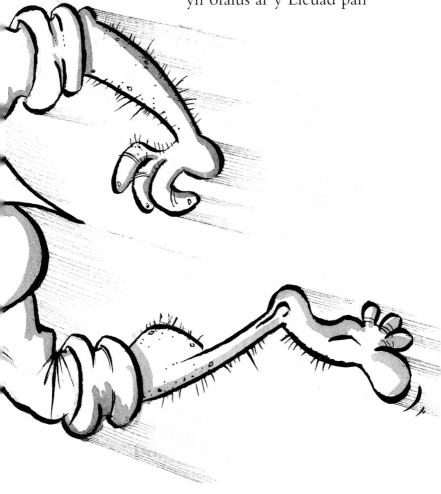

mae hi'n llawn ac yn belen wen, gron yng
nghanol yr awyr. Ac fe welwch chi wyneb Idris
yn ei chanol, yn gwenu.

Mae'r llyfrau canlynol wedi eu graddoli yn ôl iaith a chynnwys,
a nodir y lefelau trwy gyfrwng sêr.

Grŵp 1 * (syml)
Ffortiwn i Pom-Pom, addas. Elen Rhys (Gwasg Gwynedd)
Penri'r Ci Poeth, addas. Elen Rhys (Gwasg Gwynedd)
Pen-blwydd Hapus, Blodwen, addas. Elen Rhys (Gwasg Gwynedd)
Pwtyn Cathwaladr, addas. Elen Rhys (Gwasg Gwynedd)
Sianco, addas. Angharad Dafis (Gwasg Gwynedd)
Syniad Gwich? addas. Jini Owen a Brenda Wyn Jones (Gwasg Gwynedd)
Pws Pwdin a Ci Cortyn, addas. Gwawr Maelor (Gwasg Gwynedd)
Nainosor, addas. Gwawr Maelor (Gwasg Gwynedd)
Help! mae 'na Hipo yn y Cwstard!, Sonia Edwards (Gwasg Gwynedd)
Tric y Pic a Mics, Caryl Lewis (Gwasg Gwynedd)
Hwrê! mae 'na Hipo yn Tynnu'r Sled!, Sonia Edwards (Gwasg Gwynedd)

Grŵp 2 ** (canolig)
Crenshiau Mêl am Byth? addas. Dylan Williams (Gwasg Gwynedd)
Dyfal Donc, addas. Emily Huws (Gwasg Gwynedd)
'Dyma Fi – Nanw!' addas. Marion Eames (Gwasg Gwynedd)
Peiriannau Nina, addas. Siân Lewis (Gwasg Gwynedd)
Popo Dianco, addas. Dylan Williams (Gwasg Gwynedd)

Grŵp 3 *** (estynnol)
Idris y Cawr, Catherine Aran (Gwasg Gwynedd)